arm

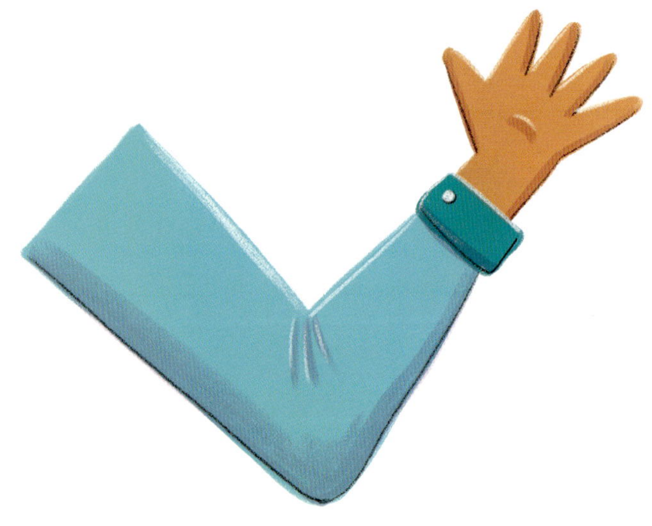

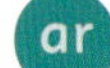
ar

m

foil

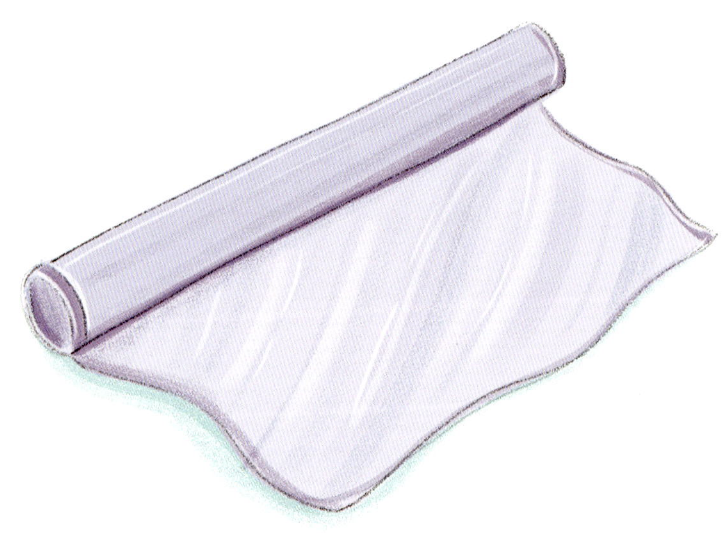

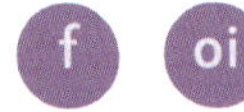
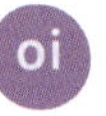
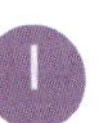

f oi l

south

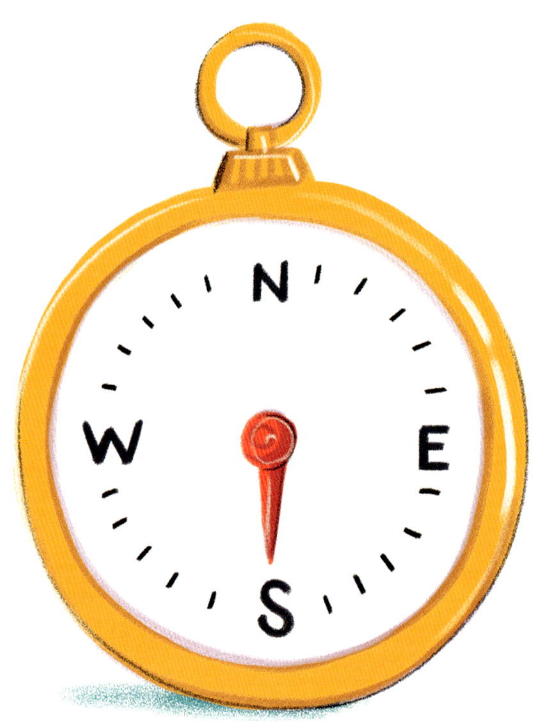
N
W
E
S

s
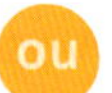
ou

th

fuel

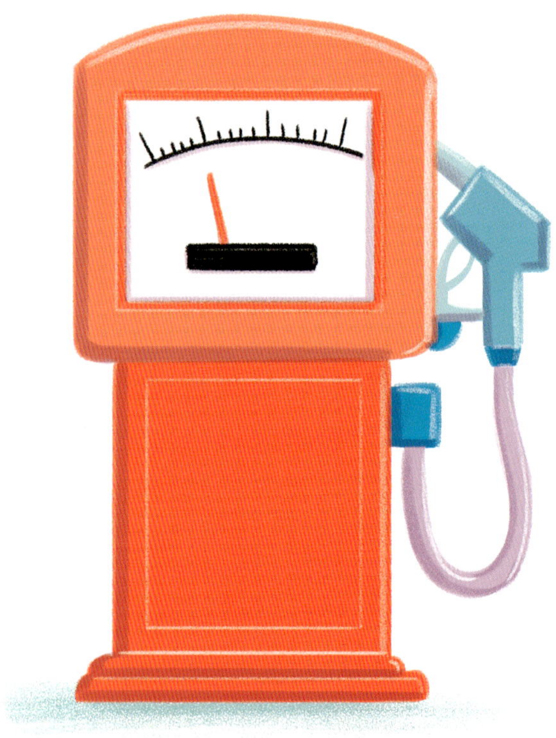

f
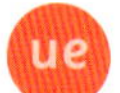
ue
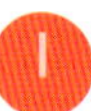
l

squid

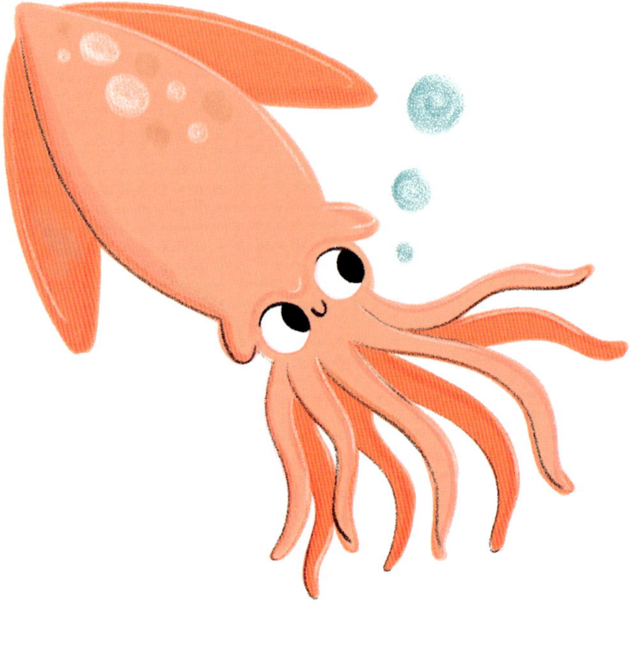

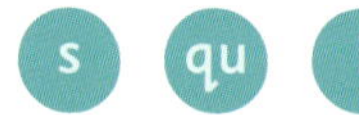
s
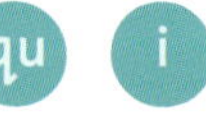
qu
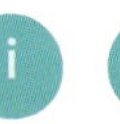
i
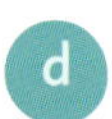
d

quilt

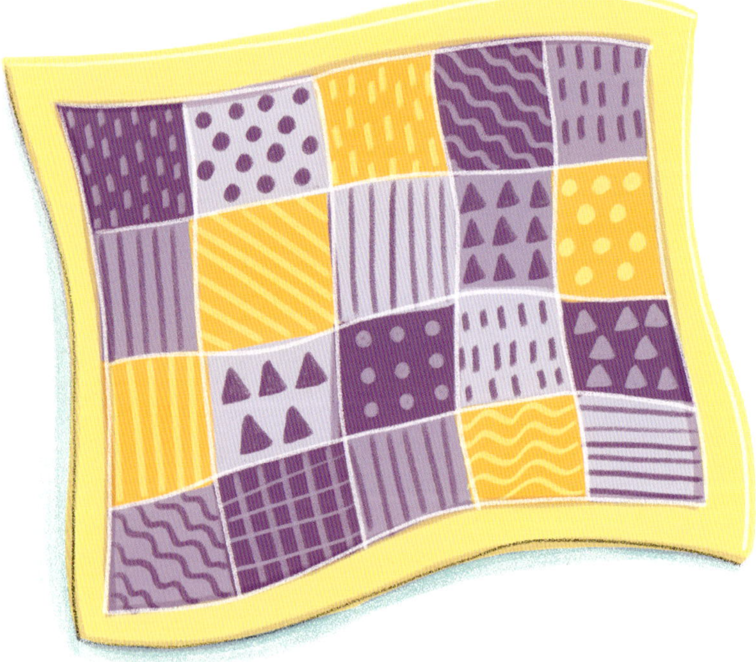

qu
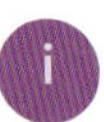
i
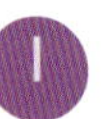
l
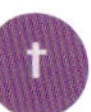
t

pepper

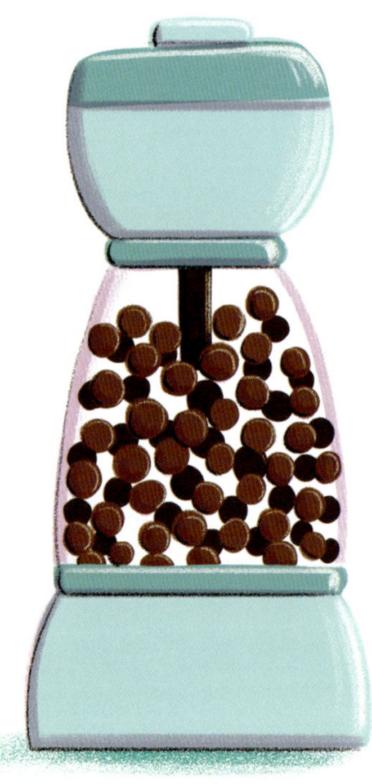

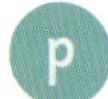
p
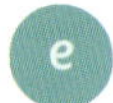
e
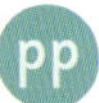
pp

er

barbecue

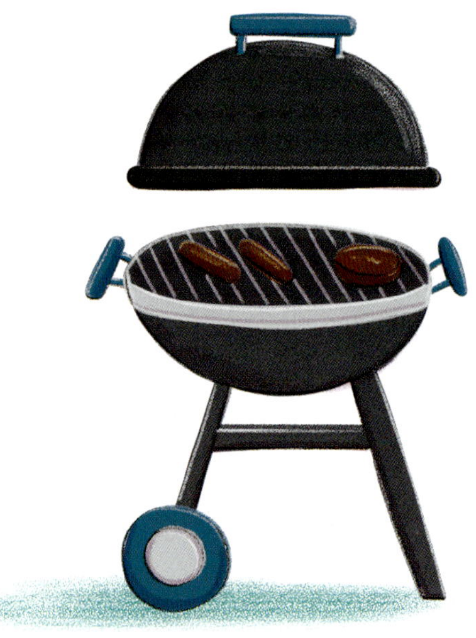

b ar b e c ue